8
6
12
17
21
24

À ma très chère Mamy, Sophie T.

Conception :
Nathalie Belineau

Textes :
Émilie Beaumont

Images :
Sophie Toussaint
avec la participation de Marie-Anne Didierjean
pour la mise en couleur

ÉDITIONS FLEURUS, 15-27, rue Moussorgski, 75018 PARIS

LE PÈRE NOËL ET SES LUTINS

LE VILLAGE DU PÈRE NOËL

Situé au bord d'une immense forêt, près du pôle Nord, une région où il fait très, très froid, ce village ne ressemble à aucun autre.

Connais-tu beaucoup de villages habités par des lutins, équipés d'une piste d'atterrissage, avec des maisons-coffres-forts en forme de paquets-cadeaux ?

LA MAISON DU PÈRE NOËL

On ne peut pas dire que ce soit un château. C'est une maison toute simple, mais très confortable !

En regardant le village, essaie de la trouver. Ce n'est pas difficile, c'est la seule maison entourée d'une barrière constituée de sapins en bois !

LA MÈRE NOËL

La Mère Noël est aux petits soins avec son mari ! Mais elle ne fait pas que ça. Elle est très active, comme tu pourras le constater.

Le Père Noël a un gros bidon, mais ce n'est pas sans raison. Tous les soirs, il grignote de petits gâteaux préparés par son épouse.

LES LUTINS DU PÈRE NOËL

Ils sont très nombreux à travailler toute l'année afin que tout soit prêt pour la belle nuit de Noël.

Les enfants des lutins sont de charmants bambins élevés tous ensemble dans la nursery dirigée par la Mère Noël.

LES ACTIVITÉS DU PÈRE NOËL

DANS LE BUREAU DU PÈRE NOËL

Le marchand de jouets qui vient voir le Père Noël est inquiet : ses jouets vont être testés avant d'être sélectionnés.

Le Père Noël veut tout connaître des derniers jouets à la mode. Il est très attentif, car il veut être sûr qu'ils plairont bien aux enfants.

LA SÉLECTION DES JOUETS

Tous les jouets sont essayés par les enfants des lutins avant d'être retenus sur la liste du Père Noël.

Si les jouets ne résistent pas aux mains des bébés lutins, ils sont retournés aux fabricants pour être modifiés.

Maman Lutine raconte les histoires des albums illustrés aux enfants très attentifs, qui sont chargés de les noter.

LES JOUETS SONT TESTÉS

Les enfants s'en donnent à cœur joie, mais ils ont une grosse responsabilité : le Père Noël attend leur choix.

Certains d'entre eux sont spécialisés dans les jeux vidéo. Ils en voient de toutes les couleurs, ce qui, parfois, les énerve un peu !

Les petites filles vérifient les poupées. Elles sont très exigeantes et mettent de côté sans pitié celles qui ne sont pas parfaites.

Tous les enfants essaient les jouets avec un lutin plus âgé, qui note leurs réactions sur un grand cahier qu'il remettra au Père Noël.

Les garçons se déchaînent quand ils s'amusent aux cow-boys et aux Indiens et qu'ils font prisonnier le lutin chargé de les surveiller.

Les plus grands sont choisis pour contrôler les jeux de société et s'assurer que les règles sont bien expliquées.

LA « SALLE DE TORTURE »

Quand les jouets ont été approuvés par les enfants des lutins, tout n'est pas fini. Ils doivent encore passer par la « salle de torture » !

Tout doit être examiné afin qu'il soit sûr qu'aucun jouet sélectionné par le Père Noël n'est dangereux pour les enfants.

LE SECRÉTARIAT DU PÈRE NOËL

Tout au long de l'année, les lutins secrétaires sont chargés d'entrer dans leurs ordinateurs les noms des enfants qui font des bêtises.

C'est très important, car, au moment de préparer les jouets, le Père Noël consulte les listes, et attention à ceux qui n'ont pas été sages !!!

LES LUTINS SONT PARTOUT

Mais comment le Père Noël fait-il pour savoir si tu as été sage ou si tu as fait des bêtises tout au long de l'année ?

C'est simple, il envoie des lutins auprès de toi. Tu ne les aperçois pas, ils se glissent partout dans ton cartable ou dans le salon.

Les lutins notent tout. Ils te mettent une bonne note si tu vas au lit sans pleurer et une mauvaise si tu fais une grosse colère.

QUELLE ACTIVITÉ !

À l'approche des fêtes, l'attaché de presse du Père Noël a beaucoup de mal à gérer son emploi du temps très chargé.

Entre les émissions de télévision, les photos pour les magazines et les défilés, le Père Noël ne peut pas tout accepter.

LE PÈRE NOËL, STAR DE LA PUBLICITÉ

En décembre, le Père Noël ne sait plus où donner de la tête, parce qu'il doit aussi tourner des films publicitaires.

Un dernier coup de poudre sur le nez et le voilà prêt à vanter les mérites du dernier téléphone portable.

Le Père Noël tourne aussi pour le cinéma. Il interprète son propre rôle et les enfants qui jouent avec lui sont ravis de le rencontrer.

LE PÈRE NOËL ET LES JOURNALISTES

Les journalistes des quatre coins du monde viennent interviewer le Père Noël pour les plus grands magazines.

Ils veulent tout savoir sur les jouets que le Père Noël a sélectionnés.

Le Père Noël prend un malin plaisir à être photographié.

Le Père Noël est très fier de faire visiter ses ateliers où les lutins emballent les jouets pour les enfants. Pas d'inquiétude, tout sera prêt !

LES APPARITIONS DU PÈRE NOËL

Quelques jours avant Noël, bien qu'il ait beaucoup de travail, le Père Noël accepte encore quelques invitations.

Il participe à de grandes parades, défilant avec quelques-uns de ses lutins devant les enfants émerveillés de pouvoir l'approcher.

LES REPRÉSENTANTS DU PÈRE NOËL

Le Père Noël ne peut pas être partout à la fois. Alors, il engage des comédiens pour le remplacer dans le monde entier.

Il accueille les prétendants au titre de « représentant du Père Noël ». Pour faire partie de la sélection, il faut remplir certaines conditions.

Les lutins recruteurs sont très sévères : si l'on est trop grand ou trop maigre, on n'a aucune chance d'être retenu.

Une fois sélectionnés, les prétendants passent entre les mains des maquilleuses et des couturières, qui souvent font des miracles.

La barbe blanche est adaptée à la forme du menton. On place un coussin sur le ventre et sur les fesses s'ils ne sont pas assez ronds.

Puis les couturières, dirigées par la Mère Noël, confectionnent en un rien de temps un costume sur mesure, rouge évidemment !

Pour être définitivement nommé représentant officiel du Père Noël, il faut encore passer quelques examens.

Une bonne santé est indispensable, parce que jouer le Père Noël n'est pas de tout repos, surtout face à des enfants pas toujours rigolos !

Il faut aussi être capable de répondre à de petites questions, expliquer par exemple pourquoi on veut être Père Noël.

La dernière épreuve est l'une des plus difficiles, car un représentant du Père Noël doit pouvoir faire face à toutes les situations :

Tenir correctement les enfants sur ses genoux.

Ne pas se laisser tirer la barbe ou le coussin caché sous le ventre.

Écouter les enfants qui posent des questions parfois inattendues.

Rester digne, même si un bébé vous fait un petit pipi.

LA REMISE DES DIPLÔMES

Ceux qui ont réussi toutes les épreuves reçoivent un diplôme officiel de représentant du Père Noël. C'est une lourde responsabilité !

Tous ces Pères Noël, tu peux les rencontrer dans les grands magasins, dans les rues, et parfois même à l'école.

Au marché, un Père Noël t'offrira des bonbons, tandis que, dans un grand magasin, tu pourras te faire prendre en photo avec lui.

Mais si tu vois des Pères Noël tout petits, sans gros bidon, sans barbe blanche ou sur des patins à roulettes, ce sont des faux !

LES FAUX PÈRES NOËL EN FAMILLE

Parfois, pour s'amuser et faire plaisir aux enfants, c'est Papy ou Tonton qui se déguise en Père Noël à la maison.

Mais les enfants s'en aperçoivent bien vite. Ils savent très bien que le Père Noël ne vient que lorsqu'ils sont vraiment endormis.

NOËL APPROCHE

LA LETTRE AU PÈRE NOËL

Quelques semaines avant Noël, envoie ta lettre au Père Noël. Si tu ne sais pas écrire, fais un joli dessin du jouet que tu souhaiterais.

Il y a tellement de jouets que c'est parfois très difficile de choisir. Pourtant, il faut se décider vite, sinon la lettre va partir trop tard.

Il ne faut pas oublier d'inscrire très lisiblement ton nom et ton adresse pour que le Père Noël trouve facilement ta maison.

LE CHEMINEMENT DE TA LETTRE

Pour arriver jusqu'au village du Père Noël, ta lettre va faire un très long voyage.

À partir de la boîte aux lettres où tu l'as glissée, elle est récupérée et rassemblée avec celles des autres enfants.

Tous les sacs contenant les lettres sont ensuite embarqués à bord d'un avion spécialement envoyé par le Père Noël.

L'ARRIVÉE DU COURRIER

L'avion va prendre la direction du Nord, là où il fait très froid. Après de longues heures de vol, il atterrit enfin au village du Père Noël.

Aussitôt, des lutins déchargent les gros sacs et les emportent sans tarder afin que les lettres soient triées.

LES LETTRES SONT TRIÉES

Le tri des lettres est un gros travail. Il ne faut pas qu'il y ait d'erreurs et il ne faut surtout pas en perdre.

Comme les lettres viennent du monde entier, il est important de les répartir par pays. Cela demande beaucoup de temps.

Chaque enveloppe est ensuite ouverte et classée : une pile pour les petites filles et une pour les petits garçons.

LES LETTRES SONT VÉRIFIÉES

Chaque lettre est examinée par les secrétaires du Père Noël, qui vérifient les noms et les adresses.

Il est parfois indispensable d'appeler les parents, car les adresses ne sont pas toujours complètes, ce qui est un peu gênant.

Les lettres des enfants qui n'ont pas été sages sont mises de côté ! Ce sera au Père Noël de décider s'ils auront des jouets ou non !

DE DRÔLES DE LETTRES

Le Père Noël reçoit parfois de drôles de lettres, qu'il examine d'un peu plus près, parce qu'il les trouve vraiment bizarres !

Parfois, ce sont des adultes qui lui demandent un gros cadeau ou des enfants qui écrivent plusieurs lettres, espérant ainsi avoir plus de jouets !

Certains enfants désirent des jouets impossibles, comme un vrai dinosaure pour s'amuser avec lui ou une fusée pour aller sur la Lune.

Les « drôles de lettres » sont remises à des lutins spécialisés qui mènent une enquête avant de donner leur avis.

Inutile d'envoyer une lettre trop longue, elle sera refusée.

Si tu veux un animal, ton vœu ne sera peut-être pas exaucé.

Un animal, ce n'est pas un jouet, et souvent un lutin contacte les parents pour s'assurer qu'ils sont bien d'accord avec la commande.

LA SALLE DES COMMANDES

Une fois les lettres vérifiées, les lutins commandent en quantité les jouets demandés par les enfants et sélectionnés par le Père Noël.

Certains jouets ont un tel succès que les fabricants n'arrivent pas à fournir. Alors, il faut trouver des solutions ! C'est un vrai casse-tête !

L'ARRIVÉE DES JOUETS

Tous les jouets commandés arrivent à bord de gros avions.
Quand ceux-ci atterrissent, c'est la panique !

Les lutins doivent ouvrir tous les colis, compter les jouets, les pointer sur leur longue liste et regarder s'ils sont tous en bon état.

LE STOCKAGE DES JOUETS

Les jouets sont ensuite acheminés à bord d'un train de wagonnets vers un grand hangar pour y être stockés à l'abri des regards.

Les lutins s'agitent dans tous les sens. Les jouets sont si nombreux qu'ils débordent des rayons, ce qui peut être dangereux !

L'EMBALLAGE DES JOUETS

Quelques jours après leur arrivée, les jouets sont emballés. Les lutins sont bien organisés et chacun sait parfaitement ce qu'il doit faire.

En un rien de temps, chaque jouet est déposé dans une boîte joliment enveloppée d'un beau papier et fermée par un ruban. Puis il est étiqueté et rangé suivant sa destination.

NOËL APPROCHE

Pendant ce temps, dans les maisons du monde entier, les préparatifs de Noël ont commencé.

Chaque jour, les enfants ouvrent une fenêtre de leur calendrier de l'avent. Ils choisissent, avec leurs parents, le sapin qui va trôner dans le salon.

Le moment le plus délicat dans la décoration du sapin, c'est la pose des guirlandes. Quelques Papas ont des difficultés pour y arriver.

Les rues s'animent, des guirlandes scintillent. Çà et là, dans le centre des villes, des sapins sont parés de boules multicolores.

Les vitrines des magasins sont toutes décorées et, dans certaines d'entre elles, on peut admirer des marionnettes.

PENDANT CE TEMPS, QUE FAIT LE PÈRE NOËL ?

Le Père Noël n'arrête pas : il doit tout surveiller, tout contrôler et surtout vérifier si son traîneau est prêt à décoller pour le grand soir.

Il se rend dans l'atelier où, chaque année, un nouveau traîneau est créé, tandis que les anciens sont exposés dans l'entrée.

Le lutin ingénieur présente au Père Noël les plans de son nouvel engin, équipé des derniers instruments les plus perfectionnés.

Le Père Noël est étonné de tous ces progrès et il a hâte de voir sur le tableau de bord son nouvel ordinateur branché sur Internet.

LE NOUVEAU TRAÎNEAU DU PÈRE NOËL

Le Père Noël est très impressionné par les moteurs de son nouveau traîneau, qui a l'air plus grand et plus confortable.

Il se demande, un peu inquiet, si ses rennes sauront guider une telle machine, même s'il sait qu'ils sont bien entraînés.

Le Père Noël jette un petit coup d'œil à l'intérieur
pour se faire expliquer comment fonctionne cet ordinateur
qui va lui permettre d'être relié au monde entier.

Les lutins bricoleurs ont même pensé au parachute, au cas où le Père Noël devrait quitter son traîneau devenu soudain incontrôlable.

UN TRAIN DE CARAVANES

Dans le ciel étoilé de Noël, on ne peut pas l'apercevoir, mais le traîneau du Père Noël est suivi par un long train de caravanes.

Il y a la caravane destinée au Père Noël, celle des rennes et la dernière, remplie de pièces détachées pour réparer le traîneau.

Quelques jours avant le grand départ, les lutins techniciens nettoient, astiquent et chargent tout ce qu'il faut à bord de chaque caravane.

Les caravanes sont invisibles, car elles sont toutes peintes en bleu marine, la couleur du ciel, et piquetées d'étoiles scintillantes.

LA CARAVANE DU PÈRE NOËL

C'est la plus grande et la plus spacieuse, et chaque endroit est étudié pour satisfaire au plus vite les besoins du Père Noël.

Un coin avec des costumes tout neufs, au cas où le Père Noël déchirerait son habit en passant par une cheminée trop étroite.

Tout est prévu pour nettoyer, coiffer et réchauffer le Père Noël. C'est vrai que, parfois, il arrive dans un drôle d'état.

Pendant la nuit de Noël, le Père Noël peut avoir un petit coup de fatigue. Il faut donc prévoir une infirmerie à bord de sa caravane.

Les lutins infirmiers vérifient que les médicaments les plus appropriés et les pansements les plus efficaces ont bien été placés dans l'armoire à pharmacie.

En général, le Père Noël a mal au cœur, car il mange trop de gâteaux laissés pour lui par les enfants. Mais, parfois aussi, il a très mal au dos !

LA CARAVANE DES RENNES

Les rennes, même bien entraînés, peuvent avoir besoin de se reposer pendant que le traîneau est arrêté au-dessus d'une cheminée.

Dans la caravane, il y a des rennes de rechange en pleine forme et bien alimentés, prêts à remplacer ceux qui auraient un malaise.

Certains rennes sont épuisés ou terrassés par une forte fièvre.

En général, ils ont de petits bobos et c'est souvent à leurs sabots.

LA CARAVANE « GARAGE »

Dans le ciel, le traîneau peut être malmené par des vents violents ou heurter de gros cailloux qui tournent autour de la Terre.

Le lutin garagiste fait des réserves de carburant pour alimenter régulièrement les puissants moteurs du traîneau pendant le voyage.

Il doit pouvoir tout réparer sans tarder, car le Père Noël n'a pas de temps à perdre : il a tant de jouets à distribuer !

LES RENNES DU PÈRE NOËL

Avant, seuls les rennes tiraient le traîneau. Maintenant, ils sont aidés par de puissants moteurs, ce qui nécessite un autre entraînement.

Régulièrement, le Père Noël suit le travail de ses rennes et il est très exigeant pour sélectionner ceux qui partiront avec lui.

L'ENTRAÎNEMENT DES RENNES

Pour faire partie de l'équipage du Père Noël, les rennes subissent des épreuves très fatigantes dont seuls les meilleurs sortent vainqueurs.

Dès leur naissance, les rennes sont entourés et chouchoutés. Tout est organisé pour leur confort et leur sécurité.

Le matin, course à pied pour se dégourdir les pattes et visite régulière chez le vétérinaire pour soigner tous les petits maux.

Les rennes sont dressés pour faire face à toutes les situations. Leur mission est d'amener le Père Noël tout autour de la Terre.

Pour le souffle et les réflexes, un parcours semé d'obstacles est bien approprié et les rennes un peu peureux sont vite repérés.

Pour les muscles et le tonus, tirer des troncs d'arbre est obligatoire. Et pour n'avoir peur de rien, un petit saut à l'élastique, c'est très tonique !

Tous les rennes sélectionnés doivent être très disciplinés et obéir au Père Noël sans rechigner et sans protester.

Supporter le bruit des grelots toute la nuit est recommandé, mais certains rennes en perdent la tête et se mettent à danser.

Les rennes doivent tous tirer le traîneau dans la même direction. Il faut s'y habituer et certains, indisciplinés, sont incapables d'y arriver.

LE MARCHAND DE SABLE

Le Père Noël est très copain avec le marchand de sable, ce vieux monsieur qui jette du sable dans les yeux des enfants pour les endormir.

Le Père Noël lui rend visite pour récupérer des sacs de sable, au cas où les enfants ne dormiraient pas quand il viendra déposer les jouets.

Les deux amis sont très heureux de se retrouver. Ils se racontent des histoires d'enfants en sirotant une tasse de thé bien chaud.

Le Père Noël charge les lourds sacs de sable dans son traîneau et quitte son ami en lui disant : « À l'année prochaine ! »

Tu te demandais peut-être pourquoi tu dors toujours quand le Père Noël fait sa tournée. Tu connais maintenant son secret.

LA PRÉPARATION DES COSTUMES

Les lutins qui accompagnent le Père Noël ont tous des costumes et, quelques jours avant le départ, il faut les essayer.

Quelques tenues sont à retoucher : certains lutins ont trop grossi alors que d'autres ont trop maigri. La Mère Noël va s'en occuper.

LE COSTUME DU PÈRE NOËL

Il est trop petit ! Le Père Noël fait l'étonné mais la Mère Noël sait bien que si son mari a un gros bidon, c'est à cause de ses petits gâteaux !

Pas d'inquiétude, la Mère Noël a des doigts de fée pour rectifier en un rien de temps un pantalon un peu trop étroit !

L'ENTRAÎNEMENT DU PÈRE NOËL

Le Père Noël est un peu enveloppé ! Pourtant, il fait des exercices épuisants pour être en forme et garder la ligne.

Il court avec une hotte sur le dos pour travailler son souffle et il s'oblige à rentrer le ventre pour mieux se faufiler dans les cheminées.

Et un ! et deux ! et trois ! Le Père Noël entretient ses muscles. Mais parfois, il en fait trop et crac ! il reste coincé.

Le Père Noël doit être capable de se tenir éveillé pendant toute sa tournée. Pour cela, il s'entraîne comme un sportif.

Son entraîneur a du mal à le suivre quand il reste dehors toute la nuit et qu'il engloutit différents mets pour avoir de l'énergie.

Pendant son voyage autour de la Terre, le Père Noël passe de l'hiver à l'été. Il s'habitue à ces différences de température dans une drôle de machine.

Durant la nuit de Noël, le Père Noël rencontre souvent du mauvais temps. Il doit pouvoir piloter son engin malgré la pluie et le vent !

Installé dans un faux traîneau, il est secoué dans tous les sens, arrosé d'eau glacée. Le plus dur, c'est de résister à de violents tourbillons d'air !

LE VILLAGE SE PRÉPARE À LA FÊTE

Noël approche et, dans le village, le sapin est dressé au milieu de la grande place.

Le Père Noël surveille la pose des boules et des guirlandes car les lutins ont parfois des idées bizarres pour se hisser en haut du sapin.

LE SPECTACLE DE NOËL

Chaque année, les enfants des lutins montent un magnifique spectacle qu'ils répètent pendant de longs mois.

Mise en scène, décors, costumes : la Mère Noël s'occupe de tout et les petits sont ravis de préparer en secret cette surprise pour Noël.

LA SALLE DES FÊTES

Quelques jours avant Noël, de longues tables sont dressées dans la salle des fêtes où aura lieu le grand repas.

Une guirlande ici, une couronne là, des boules là-bas ! En un rien de temps, la Mère Noël, aidée des lutins, a tout décoré !

LES VACANCES DE NOËL

Pour les enfants aussi, Noël approche. À l'école, ils parlent de vacances, reçoivent des cadeaux et se partagent de bons gâteaux.

Parfois même, le Père Noël, ou plus exactement un représentant officiel du Père Noël, vient distribuer des jouets, à la grande joie des enfants.

LE DÉPART EN VACANCES

L'école est finie ! Les enfants vont pouvoir préparer Noël en famille. Mais tous ne restent pas chez eux !

Nicolas et Laura sont tout excités : ils vont prendre le train avec leurs parents pour rejoindre Papy et Mamie à la montagne.

Papy et Mamie embrassent leurs petits-enfants tandis que Maman se précipite sur le téléphone. Qui peut-elle bien appeler ?

LES CHANGEMENTS D'ADRESSE

Maman prévient les lutins du Père Noël que ses enfants ne sont plus à l'adresse indiquée sur leur lettre.

Les lutins reçoivent des appels du monde entier et ils doivent effectuer tous les changements d'adresse sans se tromper.

Certains enfants, en vacances dans des coins isolés, sont très inquiets. Ils se demandent si le Père Noël pourra les retrouver.

LA VEILLE DE NOËL

Tout le monde s'active, car le grand jour va arriver et il ne faut rien oublier pour que la fête soit parfaite.

Il y a la queue chez les commerçants. Chacun achète tout ce dont il a besoin pour préparer le plus réussi des Noëls.

Dans les cuisines, on cuit les gâteaux, on farcit les volailles, que de travail ! Mais petits et grands sont heureux à l'idée de fêter Noël !

LES LUTINS SONT PRÊTS

Pendant ce temps, dans le village du Père Noël aussi il y a beaucoup d'animation, car demain c'est le grand jour.

Les lutins qui accompagnent le Père Noël viennent chercher les costumes remis à neuf que la Mère Noël a ajustés pour eux.

LES JOUETS NE SONT PAS OUBLIÉS

Dès que le Père Noël a donné son autorisation, la grande salle contenant les jouets, véritable coffre-fort géant, est ouverte.

Chaque lutin doit prendre tous les jouets destinés à un même pays. Il ne doit pas se tromper, sinon c'est la catastrophe !

LES AVIONS DU PÈRE NOËL

Tous les jouets sont aussitôt chargés à bord des avions du Père Noël qui partiront chacun dans un endroit tenu secret.

Les avions permettent au Père Noël de récupérer des jouets tout au long de sa tournée. Il y a tant d'enfants dans le monde qu'il ne peut pas prendre en une seule fois tous les cadeaux sur son traîneau.

LES RENNES SONT ATTELÉS

Le traîneau flambant neuf est sorti de l'atelier mais, pour qu'il soit parfait, il faut l'astiquer et le dépoussiérer.

Les rennes sont équipés de grelots, brossés et nourris, avant d'être attelés au traîneau. Certains sont très agités à l'idée de partir, alors que d'autres ont du mal à se dresser sur leurs pattes.

LA PRÉPARATION DU FESTIN

Préparer un repas pour autant de monde demande de l'organisation mais chaque lutin cuisinier est bien rodé.

Éplucher, nettoyer et couper les légumes, quelle corvée ! Les lutins désignés pour ce travail ne sont pas tous enthousiasmés.

Des dindes et des oies bien dodues sont plumées et farcies avec soin, puis glissées dans un grand four pour y être rôties à petit feu.

C'est la Mère Noël qui décide du menu de Noël.
Elle n'a pas sa pareille pour inventer des merveilles.

La Mère Noël surveille les lutins cuisiniers qui sont, parfois, un peu distraits. Alors, elle soulève les couvercles pour goûter ce qui cuit.

Les lutins pâtissiers garnissent les bûches avec de délicieuses crèmes au beurre et décorent un gâteau surprise pour le Père et la Mère Noël.

L'HEURE DU DÉPART APPROCHE

Dans quelques heures, c'est le grand départ.
Le Père Noël veut encore faire quelques vérifications.

Un dernier petit tour avec le traîneau pour s'assurer une dernière fois que tout fonctionne et que les rennes sont en forme pour le grand voyage.

Le Père Noël réconforte et rassure ses lutins. Certains d'entre eux sont un peu inquiets, car c'est leur première tournée.

Les avions pleins de jouets s'envolent. Le Père Noël les regarde décoller jusqu'au dernier pour être sûr que tous sont bien partis.

Puis le Père Noël engloutit en un rien de temps un dîner très copieux pour prendre des forces. Et il enfile enfin son beau costume !

JUSTE AVANT DE PARTIR

La nuit va être longue. Les lutins ne doivent pas avoir de petit creux et la Mère Noël leur a préparé des plats exprès pour eux.

LA NUIT DE NOËL

LA VEILLÉE DE NOËL

Dans chaque maison, on attend le Père Noël,
et les enfants ont du mal à aller se coucher !

Avant de s'endormir en rêvant à demain, Laura et Nicolas écoutent, émerveillés, des contes de Noël racontés par Papy et Mamie.

Il ne faut pas oublier de déposer ses souliers au pied du sapin et d'accrocher de longues chaussettes au bord de la cheminée.

CE QU'IL FAUT FAIRE

Voici quelques conseils à suivre afin que le Père Noël puisse déposer sans soucis les jouets au pied du sapin.

Allumer quelques bougies au bord des fenêtres, mais pas partout.

Arrêter les alarmes pour éviter de faire peur au Père Noël.

Laisser quelques friandises au pied du sapin pour le Père Noël mais pas trop : il serait capable de tout avaler et de s'endormir pour faire une petite sieste !

Il est préférable de vérifier certaines petites choses pour que le Père Noël ne perde trop de temps dans chaque maison !

La cheminée doit être ramonée, ainsi le Père Noël ne se noircira pas le bout du nez, et le feu doit être éteint, sinon il se brûlerait les fesses !

Si la cheminée est trop petite, laisse une fenêtre ou une porte ouverte. Sinon, le Père Noël demandera à ses rennes de l'aider, ce qui n'est pas une bonne idée !

SI TU N'AS PAS DE CHEMINÉE

Si tu habites en appartement dans un immeuble et que tu n'aies pas de cheminée, il y a plusieurs solutions :

Soit tes parents mettent le sapin sur le balcon : ainsi, le Père Noël n'aura aucune difficulté à déposer les jouets en passant.

Soit tu laisses une fenêtre ouverte ou bien tu déposes tes chaussures devant ta porte d'entrée, dans le couloir de ton immeuble.

RÉUNION GÉNÉRALE

Le Père Noël rassemble tous les lutins, qui vont le suivre heure après heure. Il contrôle avec eux que les avions sont bien arrivés.

Dans son traîneau équipé d'un ordinateur et d'un téléphone, le Père Noël sera en permanence en contact avec son équipe prête à intervenir.

L'HEURE DU DÉPART A SONNÉ

Les lutins sont dans les caravanes, le Père Noël dans son traîneau.
Attention, tout est prêt, c'est le départ !

Les moteurs rugissent, les rennes s'élancent ! Le Père Noël s'envole dans le ciel, sous les acclamations des lutins qui restent au village avec la Mère Noël.

LES RENCONTRES DANS LE CIEL

Comme il sillonne le ciel dans tous les sens, le Père Noël fait parfois des rencontres inattendues.

Au-dessus de l'Italie, il lui arrive souvent de papoter avec la Befana, cette gentille sorcière qui apporte aussi des cadeaux aux enfants.

Mais quelquefois le Père Noël n'en croit pas ses yeux. Il aperçoit de drôles de petits bonshommes dans des soucoupes volantes.

Durant la nuit de Noël, tous les pilotes d'avion savent qu'ils doivent se méfier de la caravane du Père Noël, qu'ils pourraient croiser au moment du décollage ou de l'atterrissage.

Si un avion s'approche de trop, le Père Noël est un peu bousculé. Mais pas de panique ! Les rennes maintiennent le traîneau.

Si des enfants sont à bord, c'est la fête. Apercevoir le Père Noël est exceptionnel et les parents, très étonnés, ont du mal à les calmer.

LE RAVITAILLEMENT EN JOUETS

Dès que le Père Noël a terminé sa tournée dans un pays, son traîneau est vide et il doit très vite refaire le plein de jouets.

Il s'arrête près d'un des avions ravitailleurs. En un rien de temps, les lutins remplissent le traîneau et le Père Noël peut repartir.

LE VOYAGE DU PÈRE NOËL

Au-dessus des maisons, le Père Noël consulte son ordinateur pour savoir où il doit s'arrêter et demande à ses rennes de ralentir un peu.

LA VISITE DU PÈRE NOËL

Lorsque le Père Noël a repéré la maison où il y a des jouets à déposer, il stoppe son traîneau sans tarder.

Les rennes freinent immédiatement et l'équipage s'arrête sans faire de bruit : il ne faut pas réveiller les enfants endormis.

Le Père Noël met les jouets dans sa hotte sans en oublier et descend aussitôt par la cheminée en essayant de ne pas tomber.

Tout s'est bien passé, le Père Noël est dans la maison. Il vérifie aussitôt que les enfants dorment bien tranquillement dans leur lit.

Puis il installe les cadeaux au pied du sapin et glisse des friandises dans les petits chaussons. Mais que regarde-t-il avec gourmandise ?

Les enfants ont préparé de délicieux petits gâteaux pour le Père Noël et une botte de carottes pour ses rennes.

Le Père Noël, qui avait un petit creux, a tout avalé et les rennes sont ravis, car les carottes sont leur mets favori.

Au-dessus de New York, le Père Noël ne peut s'empêcher de se faufiler à toute vitesse entre les buildings. Ça l'amuse beaucoup !

En Australie, le pays des kangourous, c'est l'été ! Le Père Noël enfilerait bien un maillot de bain, mais ce n'est pas une tenue très correcte !

LE RETOUR AU VILLAGE

La longue tournée est terminée, les jouets ont été distribués dans les temps et demain matin les enfants seront contents.

Les rennes ont bien travaillé, mais ils sont épuisés. Certains s'endorment même tout de suite sans dévorer la moindre miette.

Les avions ravitailleurs rentrent les uns après les autres.
L'atterrissage est parfois un peu difficile à cause de la glace sur la piste,
mais rien de grave n'est jamais arrivé !

La Mère Noël embrasse tendrement son mari. Elle se fait toujours du souci : c'est un bien long voyage pour un si vieux monsieur.

LES JOUETS DES LUTINS

Après les retrouvailles, il y a encore du travail. Il faut déposer au pied du sapin les jouets pour les enfants des lutins.

Le Père Noël a encore quelques jouets dans sa hotte. Il en emporte toujours un peu plus, au cas où il en aurait besoin.

LES COSTUMES SONT RENDUS

Avant d'aller se reposer, le Père Noël et ses lutins doivent déposer leurs beaux costumes afin qu'ils soient nettoyés et rangés.

La Mère Noël veut vite les récupérer. Elle connaît bien les lutins, ils sont plutôt désordonnés et risqueraient de les égarer !

UN SAUNA AVANT DE SE COUCHER

Au pays du Père Noël, on aime pour se détendre prendre un bain de vapeur, bien au calme, dans une cabane en bois.

UN REPOS BIEN MÉRITÉ

Après le sauna, tout le monde va au lit, mais pas pour très longtemps : demain, c'est Noël !

Au petit matin, les lutins ont du mal à se réveiller. Même le bruit de la trompette ne les fait pas sursauter.

La Mère Noël a beau secouer son mari, il ne bouge pas ! Mais elle a un secret pour qu'il se lève : lui chatouiller les doigts de pieds.

LE NOËL DES LUTINS

Le Père Noël a fini par se réveiller et a enfilé un costume tout propre pour distribuer les cadeaux aux enfants.

Les petits s'amusent avec leurs jouets tout neufs, sauf l'un d'entre eux, qui trouve plus rigolo de se faire une cabane avec le papier-cadeau.

VIVE NOËL !

Le grand jour tant attendu est enfin arrivé. Les enfants sont pressés de découvrir les jouets que le Père Noël leur a apportés !

Papy et Mamie annoncent aux enfants que le Père Noël est passé. Nicolas et Laura bondissent hors de leur lit en criant de joie.

Les enfants se précipitent dans la chambre de leurs parents pour les réveiller : toute la famille doit être réunie pour ouvrir les paquets.

LA DÉCOUVERTE DES JOUETS

Le Père Noël n'a rien oublié. Nicolas et Laura sont émerveillés, ils ont tous les jouets qu'ils avaient commandés.

Papa et Maman les regardent déballer leurs cadeaux. Ils sont émus, ils se souviennent du temps où c'étaient eux qui attendaient le Père Noël.

LES ENFANTS MÉCONTENTS

Tous les enfants ne sont pas aussi heureux que Nicolas et Laura. Ils n'ont pas tous exactement ce qu'ils voulaient !

Natacha pleure : elle n'a pas reçu le jouet qu'elle attendait !

Elisa pleure aussi : son frère a plus de jouets qu'elle !

Roméo est déçu : il voulait une vraie fusée et un vrai dinosaure !

Léo n'est pas content du tout : il avait commandé un vrai chat.

C'est vrai que les lutins du Père Noël font parfois des bêtises ou que durant le voyage certains jouets sont cassés, mais en général tout finit par s'arranger !

Bruno n'en revient pas, son avion a déjà une aile brisée !

Pas facile de monter une tente d'Indien au milieu du salon !

Comment peut-on jouer quand les règles du jeu sont écrites en chinois ? Ce n'est pas évident !

Si on n'a pas été sage, le Père Noël n'apporte pas de jouets, ou alors il les cache, pour faire peur !

LE REPAS DE NOËL

Après avoir joué toute la matinée, il est temps de déguster tous ensemble le traditionnel repas de Noël.

Quel bonheur ! Laura et Nicolas ont la permission de garder avec eux leur jouet préféré pendant le déjeuner.

LE SPECTACLE DE NOËL

Chez les lutins, après avoir reçu leurs jouets, les enfants offrent leur superbe spectacle au Père Noël pour le remercier.

Sous la direction de la Mère Noël, les enfants chantent tous en chœur. Le père Noël applaudit. C'est vraiment très réussi !

LE FESTIN DE NOËL

Après le spectacle, tout le village se retrouve dans la grande salle des fêtes pour savourer le repas de Noël.

Les enfants s'amusent comme des fous, les parents aussi. On chante, on danse, même sur les tables ! Après tout, ce n'est pas tous les jours Noël.

Au moment du dessert, le lutin pâtissier est très fier de présenter au Père et à la Mère Noël le magnifique gâteau qu'il a préparé pour eux.

Les enfants lutins sont très gâtés : ils ont la joie d'avoir le Père Noël rien que pour eux. Beaucoup aimeraient bien être à leur place !

NOËL EST TERMINÉ

La fête est finie. La neige tombe doucement sur le village endormi. Le Père Noël dort à poings fermés, personne ne doit le déranger !

Toutes les lumières se sont éteintes, sauf celle d'un atelier où des lutins sont débordés de travail. Mais que font-ils ?

LE BUREAU DES RÉCLAMATIONS

Les lutins du bureau des réclamations reçoivent de nombreux coups de fil du monde entier.

Les parents sont inquiets de savoir comment faire avec les jouets abîmés et ceux déposés par erreur. Les lutins trouvent vite une solution et les jouets détériorés sont renvoyés au Père Noël.

L'ATELIER DE RÉPARATION

Les lutins bricoleurs sont de petits génies. En un rien de temps, ils réparent les jouets. Les enfants ne doivent pas attendre !

Ce dernier travail terminé, les lutins bricoleurs vont se reposer aussi. Après les longs mois d'hiver, le Père Noël et ses lutins prépareront le Noël de l'année prochaine !

TABLE DES MATIÈRES

ISBN : 2-215-064-14-5

Dépôt légal à la date de parution.
Conforme à la loi n°49-956 du 16 juillet 1949
sur les publications destinées à la jeunesse.

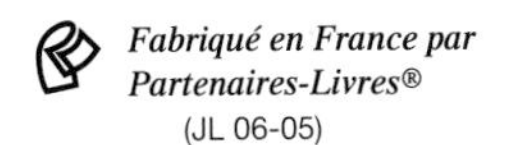

Fabriqué en France par
Partenaires-Livres®
(JL 06-05)

6
8
12
17
21
24
25